A los besos de buenas noches
de mis padres y mi hermano
por ayudarme a dormir, pero,
sobre todo, a soñar.
E. P.

LAS TORTUGAS NUNCA DUERMEN

Esther Pardo
Miguel Díez Lasangre

EDICIONES EKARÉ

Felicia y su tortuga Tina vivían muy unidas.

Durante el día Felicia le contaba a Tina
las increíbles aventuras que había vivido.

Las dos se acompañaban a paso de tortuga
del salón a la cocina y de la cocina al salón.

Y así, en compañía, el día pasaba volando.

Pero, cuando llegaba la noche
y todos en su calle estaban durmiendo,

Felicia se levantaba para encontrarse con Tina,
que la esperaba impaciente.

Entonces se miraban fijamente a los ojos
y ocurría algo asombroso...

extraño...

increíble...

mágico...

maravilloso...

Felicia disfrutaba al máximo de las noches.

Por fín podía nadar tranquilamente sin que le dolieran las piernas.
Aunque, a veces, la vida de una tortuga podía ser muy peligrosa.

Mientras tanto, Tina recorría incansable
las calles de la ciudad.

Aunque, a veces, la vida entre los humanos
podía ser muy engorrosa.

Noche tras noche, Tina exploraba
los rincones más interesantes.

Por fin podía hacer todas esas cosas divertidas
que Felicia le había contado.

Pero fuera a donde fuera,

siempre cumplían con el pacto
de volver a casa antes del amanecer.

Bueno, casi siempre.

Si algo sucedía, había que ser rápida
y no perder ni un segundo

para llegar a tiempo de mirarse fijamente a los ojos
¡y que la magia volviera a ocurrir!

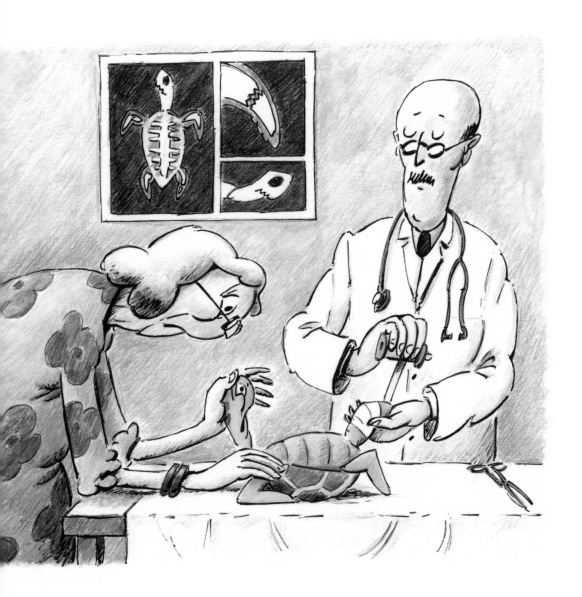

Menos mal que Tina siempre contaba con Felicia.
(Y, por supuesto, Felicia, con Tina).

Son las mejores amigas
que ha habido nunca
sobre la tierra y bajo el agua.

Y siguen esperando ansiosas
sus aventuras nocturnas.

Edición a cargo de María Cecilia Silva Díaz y Mónica Silvestre
Diseño y dirección de arte: Irene Savino

Primera edición, 2018

© 2018 Esther Pardo, texto
© 2018 Miguel Díez Lasangre, ilustraciones
© 2018 Ediciones Ekaré

Todos los derechos reservados

Av. Luis Roche, Edif. Banco del Libro, Altamira Sur. Caracas 1060, Venezuela
C/ Sant Agustí, 6, bajos. 08012 Barcelona. España

www.ekare.com

ISBN 978-84-947431-4-6
Depósito legal B.24671.2017

Impreso en China por RRD APSL